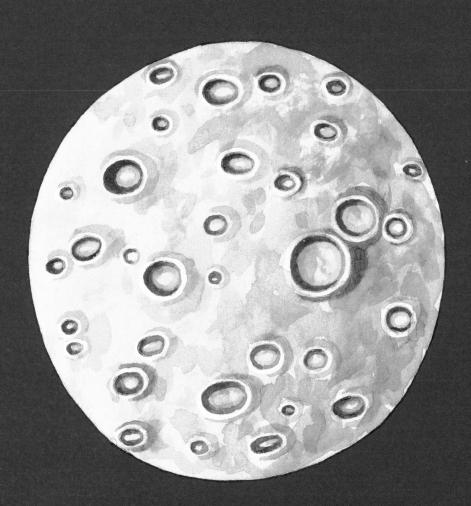

Dis-moi pourquoi BABAR

Le ciel et les étoiles

HACHETTE
Jeunesse

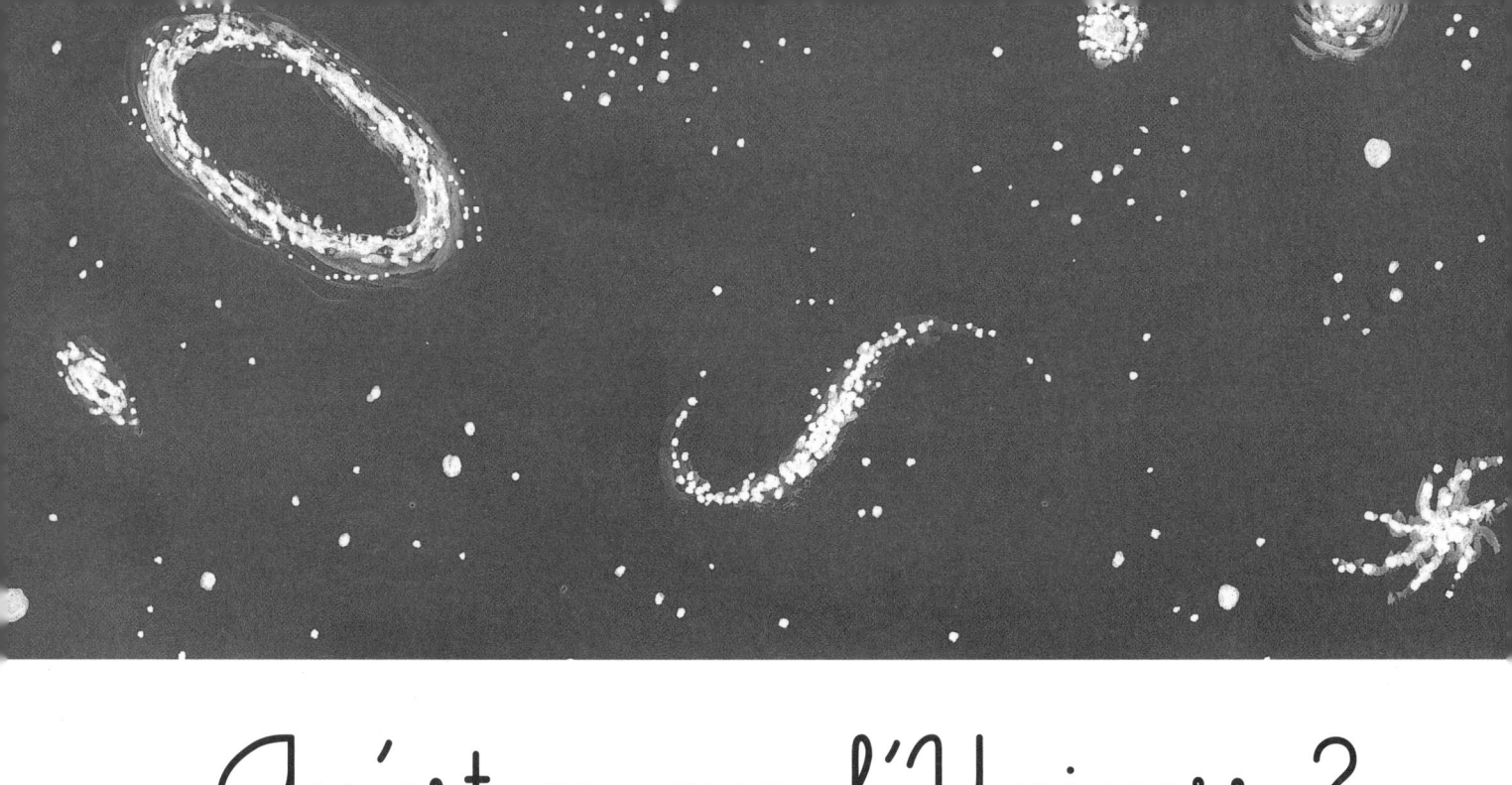

Qu'est-ce que l'Univers ?

L'Univers est l'ensemble de tout ce qui existe sur la Terre mais aussi dans l'espace. Il est si vaste qu'il est impossible de le connaître complètement et de savoir où il s'arrête.

Lorsque tu regardes le ciel pendant la nuit, tu ne vois qu'une toute petite partie de l'Univers. Imagine que tu prennes dans ta main un grain de sable et que tu compares sa taille à celle d'une grande plage, constituée de milliards de grains de sable. Les étoiles que tu aperçois et la planète Terre sur laquelle tu vis sont comme des petits grains de sable par rapport à l'Univers.

■ L'Univers est constitué d'une centaine de milliards de groupes d'étoiles et de planètes appelés « galaxies ». Certains de ces ensembles se situent très loin de la Terre.

■ Les galaxies sont toujours en mouvement dans l'Univers. On pourrait les comparer à des danseuses car elles tournent tout le temps sur elles-mêmes. Certaines ont la forme d'un ballon de rugby, d'autres celle d'une spirale.

■ Il existe de très grandes galaxies. Elles peuvent rassembler jusqu'à mille milliards d'étoiles. Il y en a de plus petites, qui rassemblent seulement quelques centaines de milliers d'étoiles, ce qui est quand même beaucoup !

Comment l'Univers est-il né ?

Les spécialistes qui étudient l'Univers pensent que celui-ci est né il y a très longtemps, après une gigantesque explosion appelée « Big Bang ».

Il y a 15 milliards d'années, bien avant que la Terre existe, une boule plus petite qu'un microbe, a commencé à gonfler. Elle était remplie de force et de matière.

■ Un jour, elle s'est mise à chauffer, très fort et très vite. Elle a explosé en morceaux et elle est devenue mille milliards de milliards de fois plus grande ! L'Univers était né.

Quelques galaxies

Galaxie spirale

Galaxie simple

Galaxie en ellipse

■ Après le Big Bang, l'Univers s'est refroidi et un nombre incroyable de petites boules se sont collées les unes aux autres. Elles ont fini par former les galaxies.

De quelle galaxie la Terre fait-elle partie ?

La Terre appartient à une galaxie nommée « Voie lactée ». Les étoiles que nous voyons en font partie.

La nuit, nous ne voyons que quelques milliers d'étoiles de la Voie lactée. Pourtant, celle-ci en compte bien davantage : près de 500 milliards.

■ Notre Galaxie a la forme d'une spirale. Au centre, se trouvent les étoiles les plus vieilles. Elles forment ce que l'on appelle le « noyau ». Dans le ciel, tu les reconnais parce qu'elles sont si serrées qu'elles ressemblent à un nuage très brillant.

■ Autour du noyau, d'autres groupes d'étoiles forment comme des bras. C'est dans un de ces bras que se trouve la Terre, avec la Lune et le Soleil.

Quelle est la taille de la Voie lactée ?

Pour calculer la taille de la Voie lactée, les scientifiques qui étudient l'espace ont dû inventer de nouvelles mesures, car les kilomètres qui nous servent sur la Terre sont bien trop petits !

Même si notre Galaxie est très petite comparée à l'ensemble de l'Univers, elle est très grande comparée à la taille de la Terre. Les scientifiques calculent sa taille en « années-lumière ».

■ Une année-lumière représente la distance parcourue par la lumière en une année. Elle correspond à 10 000 milliards de kilomètres, c'est-à-dire à plusieurs centaines de millions de fois le tour de la Terre !

■ La Voie lactée mesure 100 000 années-lumière de longueur. Cela fait beaucoup de zéros et nos esprits ont du mal à imaginer l'immense taille que cela représente !

Quelles sont les autres galaxies dans l'Univers ?

Les galaxies que l'on connaît le mieux sont celles qui sont les plus proches de la nôtre.

Quelques galaxies

Andromède

Nuages de Magellan

Sombrero

Les autres galaxies se situent parfois à des millions d'années-lumière. Depuis la Terre, on peut en apercevoir deux en regardant le ciel pendant la nuit : la galaxie d'Andromède, qui est voisine de la Voie lactée et que l'on voit avec une bonne paire de jumelles, et la galaxie appelée Nuages de Magellan.

■ Certaines galaxies ont des noms rigolos à cause de leur forme. Une a été baptisée la galaxie Sombrero, car elle ressemble à un chapeau mexicain !

Peut-on voir des galaxies très lointaines depuis la Terre ?

Pour explorer l'Univers, il existe des instruments permettant de capter la lumière des galaxies lointaines. La science qui étudie les étoiles s'appelle « astronomie ».

Partout sur la Terre, les scientifiques ont installé des télescopes, c'est-à-dire des appareils qui peuvent recevoir la lumière des étoiles situées trop loin pour êtres vues à l'œil nu.

■ Le télescope a été inventé il y a presque 400 ans. Grâce à cet instrument, les astronomes de l'époque ont vu pour la première fois des étoiles appartenant à des galaxies lointaines.

Astronome

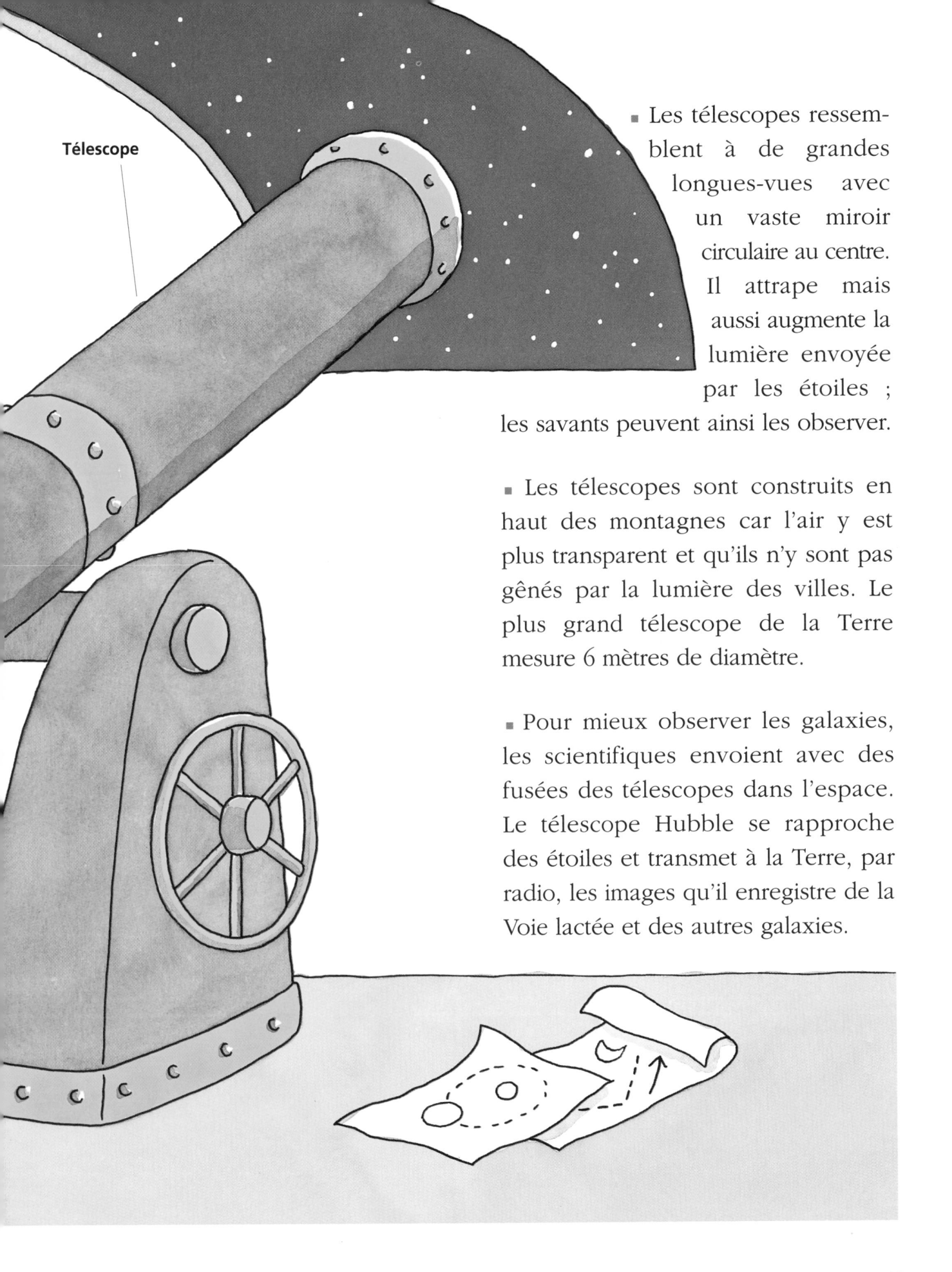

Télescope

■ Les télescopes ressemblent à de grandes longues-vues avec un vaste miroir circulaire au centre. Il attrape mais aussi augmente la lumière envoyée par les étoiles ; les savants peuvent ainsi les observer.

■ Les télescopes sont construits en haut des montagnes car l'air y est plus transparent et qu'ils n'y sont pas gênés par la lumière des villes. Le plus grand télescope de la Terre mesure 6 mètres de diamètre.

■ Pour mieux observer les galaxies, les scientifiques envoient avec des fusées des télescopes dans l'espace. Le télescope Hubble se rapproche des étoiles et transmet à la Terre, par radio, les images qu'il enregistre de la Voie lactée et des autres galaxies.

Quelle est la différence entre une étoile et une planète ?

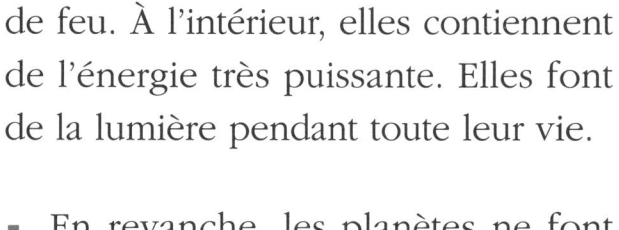

Dans notre Galaxie, on trouve des étoiles et des planètes. Les étoiles créent de la lumière, à la différence des planètes qui n'en font pas.

Les étoiles sont comme des boules de feu. À l'intérieur, elles contiennent de l'énergie très puissante. Elles font de la lumière pendant toute leur vie.

■ En revanche, les planètes ne font pas de lumière. Si tu les vois dans le ciel, c'est parce qu'elles sont éclairées par les étoiles voisines.

■ Dans la Voie lactée, les planètes bougent. Elles tournent sans cesse autour des étoiles qui les éclairent.

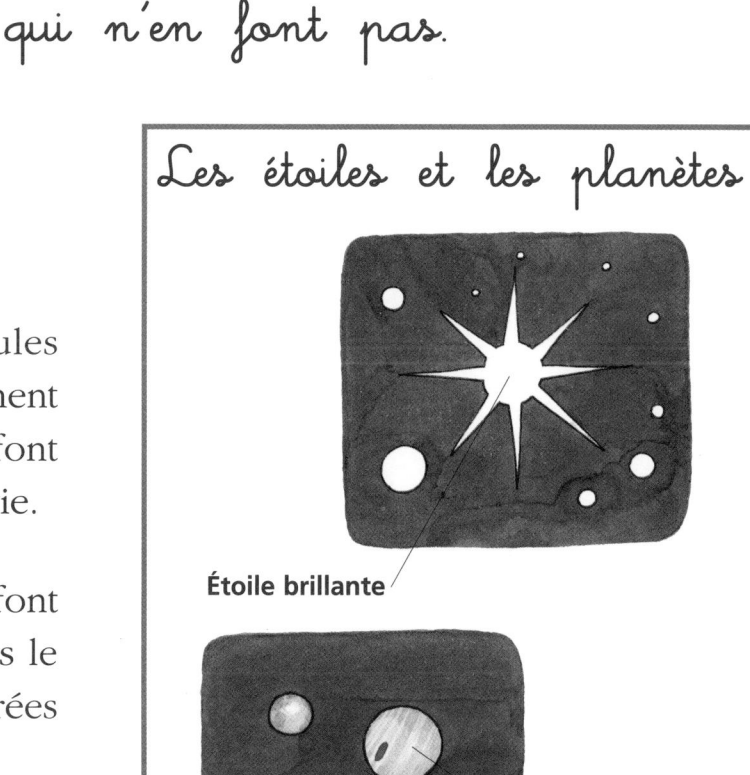

Les étoiles et les planètes

Étoile brillante

Planètes

La Terre est-elle une étoile ou une planète ?

La Terre est une planète. L'étoile autour de laquelle elle tourne est le Soleil. C'est lui qui lui donne de la lumière.

La Terre est née parce que des milliards de poussières qui voyageaient dans l'Univers ont été attirées par le Soleil. Ces poussières se sont rassemblées et se sont mises à tourner très vite. Elles ont formé une grosse boule qui est devenue notre planète.

■ Une grande partie de la surface terrestre est recouverte d'eau : ce sont les océans. Voilà pourquoi on surnomme la Terre la « planète bleue ».

■ Autour de la Terre, une bulle d'air, appelée « atmosphère », protège les sols et les océans. C'est grâce à elle que l'on respire.

L'atmosphère protège la planète

Atmosphère

Terre

Comment les étoiles naissent-elles ?

Avant de briller, les étoiles commencent leur vie, comme les planètes, sous forme de nuages de poussières. Puis elles se mettent à chauffer et à faire de la lumière.

As-tu déjà regardé une bûche de bois brûler dans une cheminée ? Quand la bûche est très chaude, elle devient très lumineuse. C'est un peu la même chose pour la naissance des étoiles.

■ Dans l'espace, des nuages de poussières voyagent. On les appelle des « nébuleuses ». Parfois, ces nuages de poussières se regroupent puis ils

se serrent les uns contre les autres, de plus en plus fort.

■ Quand les poussières se rassemblent, les nébuleuses deviennent de grosses boules sombres. Ces boules chauffent de plus en plus et leur noyau – c'est-à-dire leur centre – qui est rempli d'énergie, atteint alors une température qui s'élève à des millions de degrés.

C'est à ce moment-là que les étoiles naissent. Chaque boule sombre se met à fabriquer de la lumière.

■ Comme nous, les étoiles naissent et meurent. Quand leur noyau a fini de brûler et qu'elles ont dépensé toute l'énergie qu'il contenait, elles se refroidissent petit à petit et deviennent de moins en moins brillantes. Parfois, elles explosent et disparaissent. Mais avant d'en arriver là, la vie d'une étoile est longue : elle dure au moins 10 millions d'années.

Pourquoi les étoiles brillent-elles ?

Les étoiles brillent parce qu'elles brûlent. Selon leur couleur, on peut savoir leur âge et leur température.

Les étoiles sont un peu comme des ampoules, mais sans électricité. Au centre, leur noyau est rempli de gaz. Quand l'étoile chauffe, le gaz s'enflamme et crée de la lumière. C'est pour cela que les étoiles brillent la nuit.

■ Quand une étoile meurt, elle s'éteint. Pourtant, nous continuons à la voir briller car sa lumière met plusieurs années à nous parvenir.

■ Dans le ciel, même si on a du mal à s'en rendre compte, il y a des étoiles blanches, des bleues, mais aussi des jaunes et des rouges. Cela dépend de leur température et de leur âge. Les bleues sont les plus chaudes et les rouges sont les plus froides.

Pourquoi ne voit-on les étoiles que la nuit ?

En fait, nous ne voyons pas vraiment les étoiles mais plutôt la lumière qu'elles émettent. Pour cela, il faut être dans le noir.

Quand il fait jour, nous sommes éclairés par le Soleil, l'étoile la plus proche de la Terre. Sa lumière est forte et elle rend le ciel très clair. Elle cache la lumière des autres étoiles. Pourtant, les étoiles existent toujours dans le ciel, mais nous ne les voyons pas.

■ Quand le Soleil se couche, ses rayons ne nous éclairent plus et des petits points brillants s'allument un à un dans le ciel. Comme celui-ci devient noir, nous voyons alors parfaitement se détacher la lumière des étoiles et nous pouvons aussi observer les planètes qu'elles éclairent.

Comment reconnaître les étoiles dans le ciel ?

Grande Ourse

Petite Ourse

Constellation du Dragon

Étoile polaire

Constellation de Cassiopée

Si tu relies par un trait imaginaire certaines étoiles, elles dessinent des formes géométriques dans le ciel. C'est en apprenant à repérer ces dessins que l'on arrive à reconnaître les étoiles.

Regarde une carte du ciel. Elle t'aidera à repérer les étoiles quand tu iras les observer. Sur la carte, des traits relient certaines étoiles entre elles et forment des dessins que tu peux reconnaître. Ces dessins sont des « constellations », auxquelles on a donné des noms d'animaux ou de personnages.

■ L'étoile la plus facile à trouver est l'Étoile polaire car c'est elle qui brille le plus. Juste au-dessus, tu remarques un groupe d'étoiles qui a la forme d'une casserole. On l'appelle la Petite Ourse.

■ Plus loin, un autre groupe d'étoiles a lui aussi la forme d'une casserole, mais avec une queue plus longue : c'est la Grande Ourse.

■ Encore plus loin, un groupe de cinq étoiles forme un W. C'est la constellation de Cassiopée. À côté, il y a celle du Dragon.

■ Entraîne-toi à repérer les constellations. Elles changent de place selon les saisons mais elles gardent toujours la même forme. Maintenant, tu peux aller regarder le ciel la nuit et chercher à retrouver les groupes d'étoiles sans les traits.

Où vont les étoiles filantes ?

Les étoiles filantes ne vont nulle part. Après avoir laissé une trace brillante dans le ciel, elles brûlent et disparaissent.

Les étoiles filantes ne sont pas des étoiles mais des cailloux qui flottent dans l'espace et qui pénètrent dans l'atmosphère, la bulle d'air enveloppant la Terre.

■ Quand ces cailloux, ou « météorites », entrent à toute vitesse dans l'atmosphère ils s'enflamment.

C'est à ce moment-là que l'on voit une boule de feu traverser le ciel.

■ Parfois, des météorites tombent sur la Terre. Elles font de gros trous dans le sol. Mais en brûlant, la plupart d'entre elles se transforment en poussière et disparaissent, ce qui nous évite de les recevoir sur la tête !

Qu'est-ce qu'une comète ?

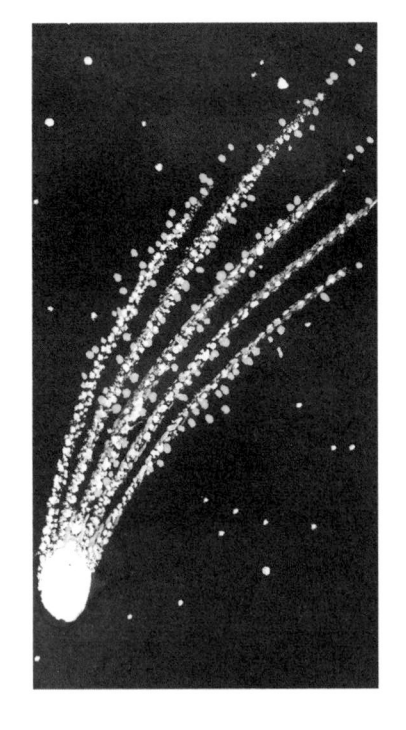

Les comètes sont des boules de glace et de poussière qui voyagent dans l'espace autour du Soleil. Parfois, on les aperçoit depuis la Terre.

Les comètes sont très grosses. Leur tête peut mesurer jusqu'à 100 000 kilomètres. Quand elles s'approchent du Soleil, la glace fond et forme un nuage lumineux qui éclaire le ciel. C'est ce que l'on appelle la « queue » de la comète, que l'on aperçoit parfois depuis la Terre.

■ Souvent, le voyage d'une comète autour du Soleil est long. La comète la plus connue est celle de Halley. Elle passe tous les 76 ans près de la Terre.

■ On peut alors voir la comète traverser le ciel et c'est à chaque fois un spectacle magnifique.

Pourquoi les étoiles changent de place dans le ciel ?

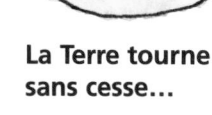

La Terre tourne sans cesse…

C'est nous qui changeons de place et non les étoiles. Comme la Terre tourne pendant toute l'année autour du Soleil, elle défile devant les étoiles et les voit sous un angle toujours différent.

Vivre sur la Terre, c'est un peu comme être sur un vaisseau spatial. La Terre voyage et se déplace autour du Soleil. Selon le point de la route où elle se trouve, elle voit un paysage et donc un ciel différent.

■ Tu remarques les changements du ciel en observant les constellations (voir p. 20). Parfois nous les voyons en haut, parfois en bas. Tu peux faire l'expérience de repérer plusieurs jours de suite la Petite Ourse et te rendre compte qu'elle change progressivement de place.

■ Il y a des étoiles que nous ne voyons qu'à certains moments de l'année. En hiver, par exemple, on peut observer les étoiles de la constellation d'Orion ou celles de la constellation du Lièvre.

■ Selon l'endroit de la Terre où nous nous trouvons, le ciel change également. C'est comme si tu comparais ce que tu vois par la fenêtre d'un train lorsque tu es assis à gauche avec ce que tu vois quand tu es assis à droite : le paysage est différent.

... et ses habitants avec elle !

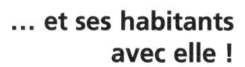

Qu'est-ce que le système solaire ?

Le système solaire, dont la Terre fait partie, est un ensemble de planètes qui tournent autour de la même étoile appelée Soleil.

Le système solaire se trouve dans la Voie lactée (voir p. 9). Il est composé de neuf planètes, qui bougent tout le temps.

■ Le Soleil est si gros qu'il attire les planètes. C'est pour cela qu'elles tournent autour de lui.

■ Pour éviter de tomber sur le Soleil, les planètes tournent également sur elles-mêmes, comme des toupies.

■ Pour comprendre le mouvement de la Terre et des autres planètes du système solaire, tourne sur toi-même tout en faisant le tour d'une chaise que tu imagines être le Soleil. Mais fais attention à ne pas attraper le tournis !

Pourquoi le Soleil brille-t-il ?

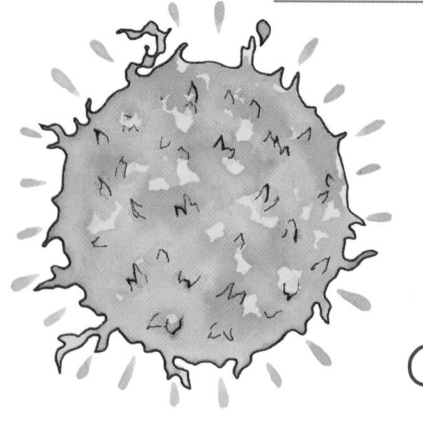

Le Soleil est une étoile. Il ressemble à une gigantesque boule de feu et il jette des flammes. C'est pour cela qu'il brille.

Le Soleil chauffe si fort et il se trouve si près de nous qu'il est souvent impossible de le regarder. Sa lumière nous fait mal aux yeux.

■ Au centre du Soleil, il fait très chaud. La température de son noyau atteint 15 millions de degrés.

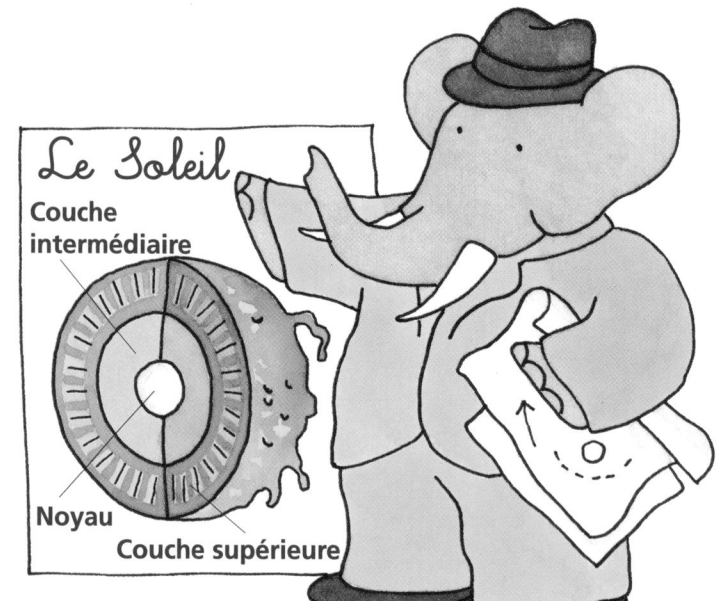

Le Soleil

Couche intermédiaire

Noyau

Couche supérieure

■ Vu de l'extérieur, le Soleil ressemble à une orange. Il lance des flammes autour de lui. Ce sont ces flammes qui réchauffent notre planète et lui apportent la lumière.

Pourquoi y a-t-il des jours et des nuits ?

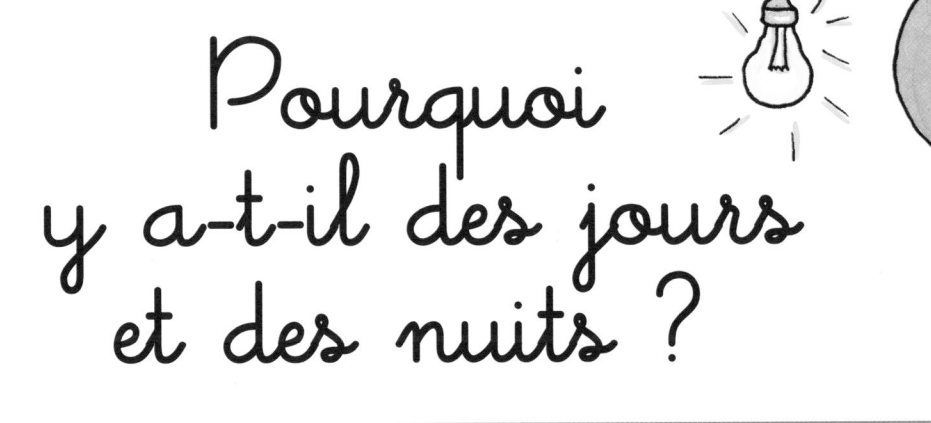

Comme la Terre tourne sur elle-même, nous sommes tantôt dans la lumière du Soleil, tantôt dans le noir.

Il faut 24 heures à la Terre pour faire un tour complet sur elle-même, c'est-à-dire un jour et une nuit. Lorsque nous sommes du côté du Soleil il fait jour et lorsque nous passons de l'autre côté, il fait nuit.

■ La Terre est une boule ronde. Pendant qu'elle tourne, elle a une moitié au Soleil et une moitié à l'ombre. Quand il fait jour pour les gens qui vivent d'un côté, il fait nuit pour ceux qui vivent de l'autre.

Le jour

La nuit

Pourquoi y a-t-il des saisons ?

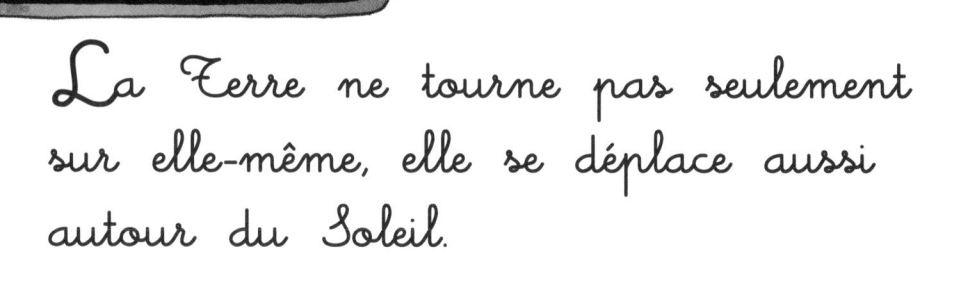

La Terre ne tourne pas seulement sur elle-même, elle se déplace aussi autour du Soleil.

La Terre met une année, c'est-à-dire 365 jours, à faire le tour du Soleil. Durant ce trajet, elle passe plus ou moins près du Soleil et elle se trouve plus ou moins penchée par rapport à lui. Les rayons du Soleil lui arrivent sous un angle variable : quand ils arrivent en face, elle reçoit beaucoup de chaleur, quand ils arrivent sur le côté, elle en reçoit moins.

■ En hiver les rayons de Soleil qui touchent la Terre sont faibles et il fait froid. En été, le Soleil brille plus fort, alors il fait chaud.

■ Entre l'été et l'hiver, il y a le printemps et l'automne. Les saisons influencent la nature qui change d'aspect quatre fois par an.

| **Le printemps** | **L'été** | **L'automne** | **L'hiver** |

Quelles sont les autres planètes du système solaire ?

La Terre n'est pas la seule à tourner autour du Soleil. Elle est accompagnée de huit autres planètes.

■ La planète Mercure est celle qui tourne le plus près du Soleil. Il y fait très chaud et la température y est insupportable.

Mercure

■ Vénus, que l'on appelle l'Étoile du Berger (voir p. 34), est entourée de nuages. Il y fait aussi très chaud. Comme la Terre, elle est couverte de montagnes et de volcans.

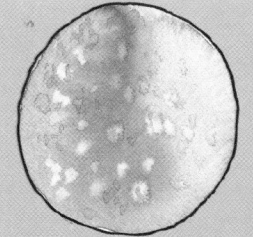
Vénus

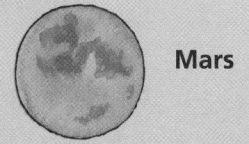
Mars

■ Mars est une planète rouge parce que son sol contient du fer rouillé. Elle est plus éloignée du Soleil que la Terre. Les hommes ont envoyé là-bas un engin spatial qui a filmé de hautes montagnes, des rivières sèches, des volcans et de la glace.

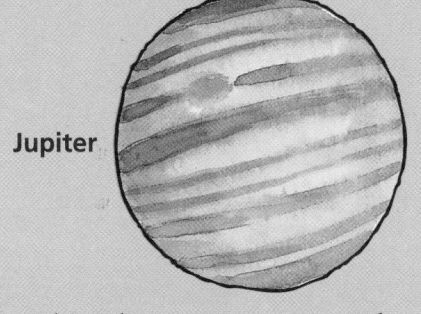
Jupiter

■ Sur la planète Jupiter, il n'y a que du gaz et des nuages. Il est donc impossible d'y faire atterrir une fusée ou d'y poser le pied.

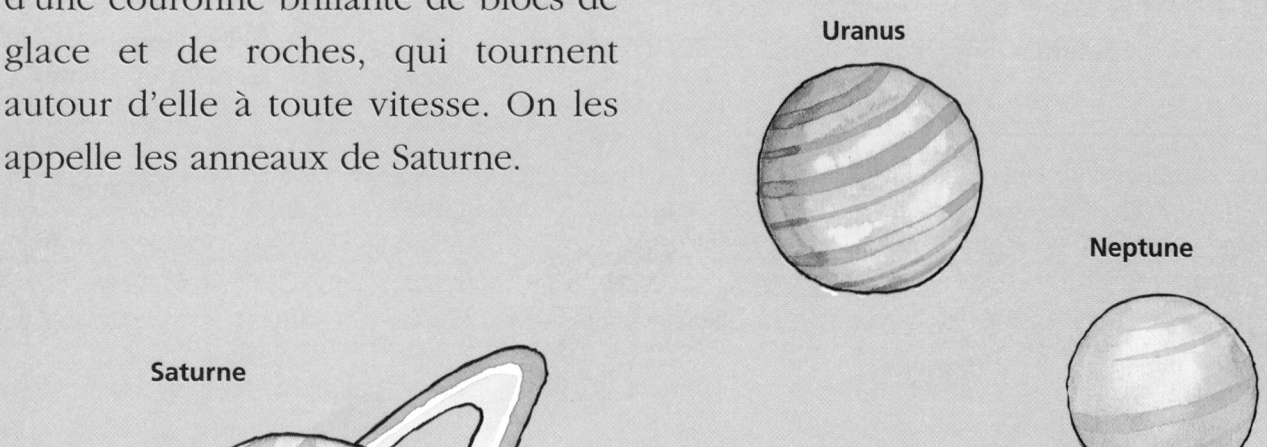

Le Soleil

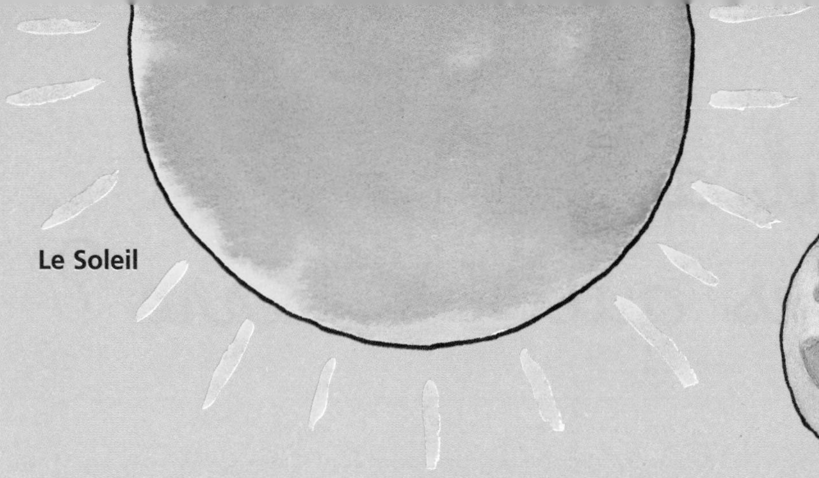

La Terre

▪ La planète Saturne est entourée d'une couronne brillante de blocs de glace et de roches, qui tournent autour d'elle à toute vitesse. On les appelle les anneaux de Saturne.

Uranus

Neptune

Saturne

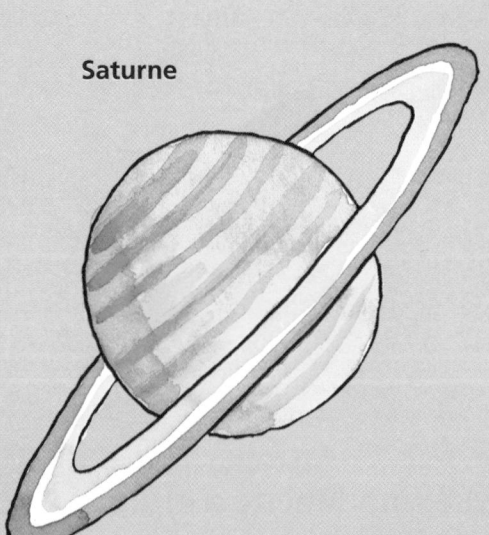

Pluton

▪ Plus loin encore du Soleil, il y a les planètes Uranus, Neptune et Pluton. Elles mettent plus d'une centaine d'années à faire le tour du Soleil. Sur Pluton, il fait très froid et le sol est recouvert de glace.

Y a-t-il des planètes plus grosses que la Terre ?

La Terre est loin d'être la plus grosse planète de la Galaxie. Parmi ses voisines du système solaire, il y quatre planètes géantes.

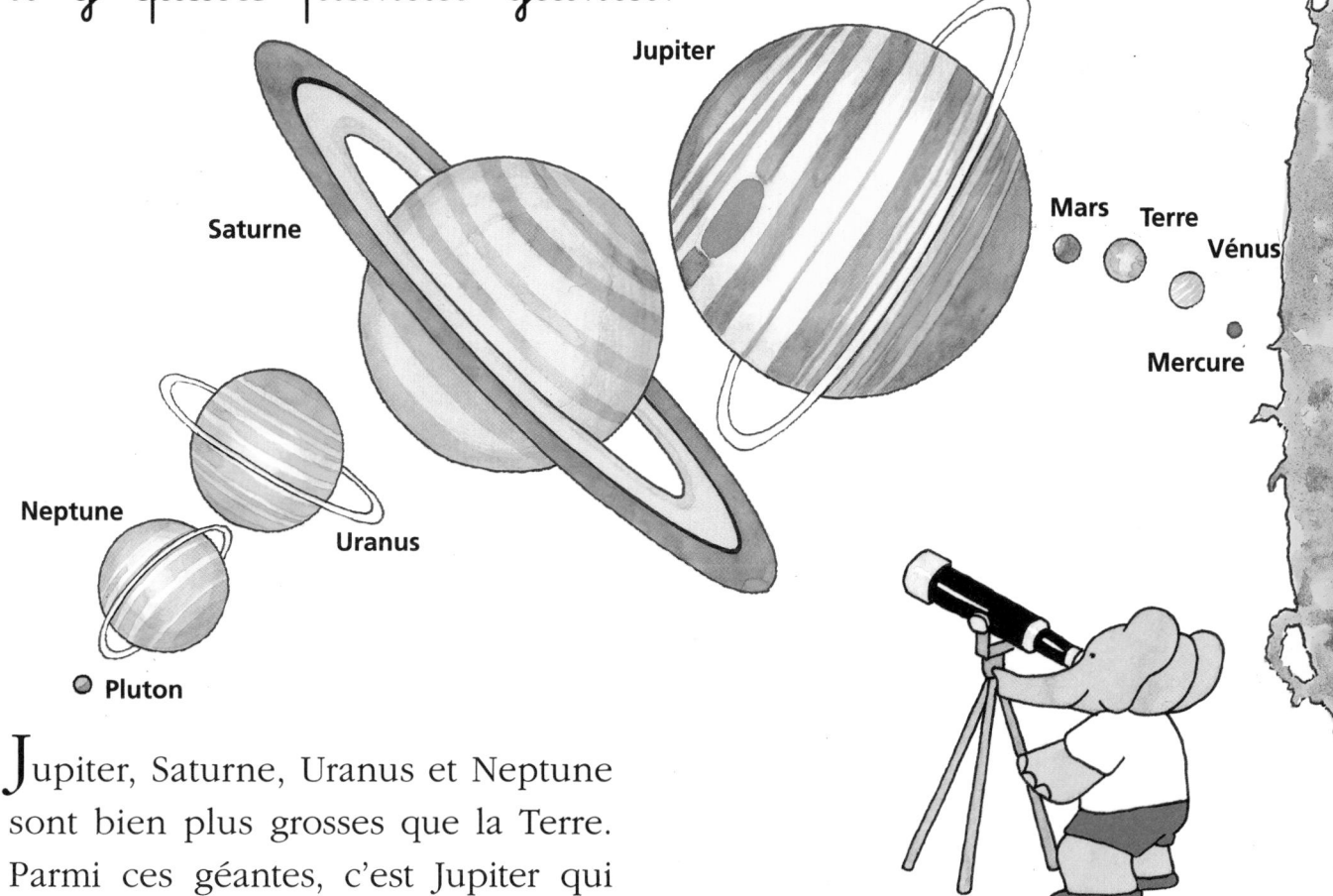

Jupiter, Saturne, Uranus et Neptune sont bien plus grosses que la Terre. Parmi ces géantes, c'est Jupiter qui détient le record de grandeur. Sa taille représente 1 330 fois celle de la Terre !

■ Neptune, qui est la plus petite des quatre, est tout de même grande comme quatre fois notre planète.

■ Avec une lunette astronomique, tu peux arriver à voir les planètes géantes depuis la Terre. En observant attentivement, tu apercevras les anneaux de Saturne et de Jupiter.

Y a-t-il des planètes plus petites que la Terre ?

La Terre fait partie des plus petites planètes du système solaire. Mais il y a des planètes encore plus petites qu'elle.

Terre

Vénus

Pluton

Mars

Mercure

Vénus est la planète jumelle de la Terre puisqu'elle a pratiquement la même taille qu'elle.

■ La planète Mars est environ deux fois plus petite que Vénus et la Terre. Plus petites encore : les planètes Pluton et Mercure. Mercure est la planète la plus petite du système solaire et Pluton est la plus éloignée du Soleil. Elle est difficile à voir depuis la Terre parce qu'elle est cachée par les quatre planètes géantes.

Qu'est-ce que l'Étoile du Berger ?

L'Étoile du Berger n'est pas une étoile mais une planète appelée Vénus. C'est la première lumière à apparaître le soir dans le ciel.

Les soirs d'été, l'Étoile du Berger apparaît à la tombée du jour, à l'heure où les bergers rentrent leurs moutons. C'est de là que vient son nom.

■ Mais celui-ci est une erreur ! On a longtemps cru qu'il s'agissait d'une étoile car elle brille beaucoup, mais on sait aujourd'hui qu'il s'agit de la planète Vénus.

■ Vénus est une planète voisine qui ressemble à la Terre. Elle brille comme une étoile parce qu'elle est entourée de nuages qui nous renvoient la lumière du Soleil, à la manière d'un miroir.

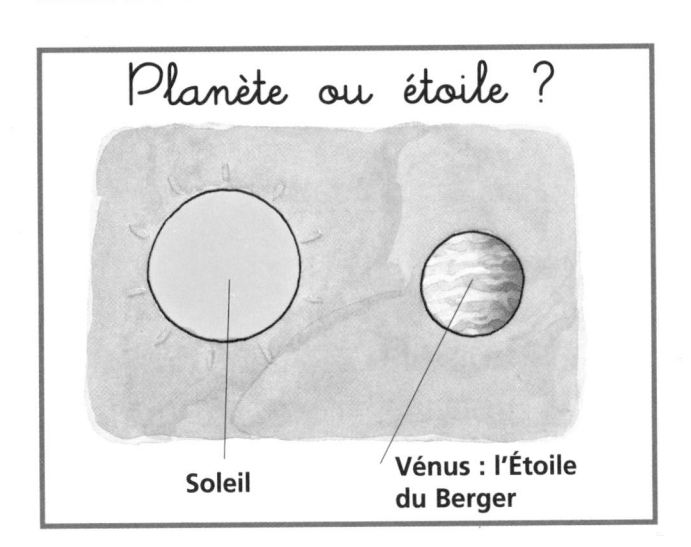

Planète ou étoile ?

Soleil

Vénus : l'Étoile du Berger

Les Martiens existent-ils ?

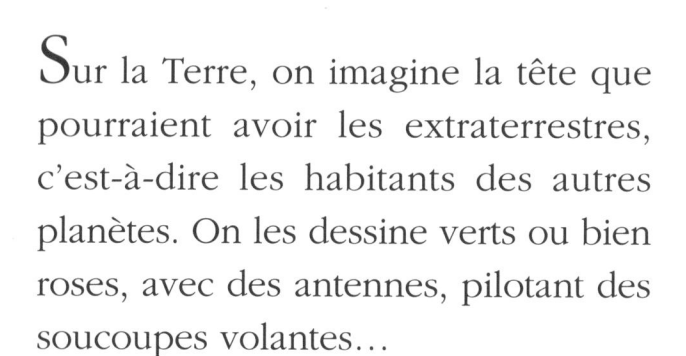

Sommes-nous les seuls habitants de l'Univers : voilà une question que nous aimerions bien résoudre ! Un vaisseau a été envoyé sur Mars, mais il n'a pas trouvé de Martiens.

Sur la Terre, on imagine la tête que pourraient avoir les extraterrestres, c'est-à-dire les habitants des autres planètes. On les dessine verts ou bien roses, avec des antennes, pilotant des soucoupes volantes…

■ Cette question reste un mystère. Les savants pensent que certaines planètes pourraient êtres habitées, mais ils ne savent pas par qui.

■ Parmi les planètes les plus proches de la Terre il n'y en a pas qui soit habitée : ni Mercure, ni Vénus, ni Mars. Un vaisseau spatial envoyé sur Mars nous a appris que les Martiens n'existaient pas.

■ Les savants essaient d'entrer en contact avec des extraterrestres en envoyant des messages radio dans l'Univers. Le premier message a été envoyé il y a plus de 20 ans, mais, pour le moment, il n'a pas reçu de réponse.

Qu'est-ce qu'un satellite ?

Dans l'espace, un satellite est une petite planète
qui fait sans cesse le tour
d'une autre planète plus grosse.

La Lune est le satellite de la Terre. Elle ne s'en éloigne jamais et met environ 27 jours pour en faire le tour. Comme la Terre, elle tourne également sur elle-même.

■ Imagine un peu les multiples mouvements du système solaire : la Lune tourne autour de la Terre, qui tourne autour du Soleil ; et ainsi de suite pour toutes les planètes...

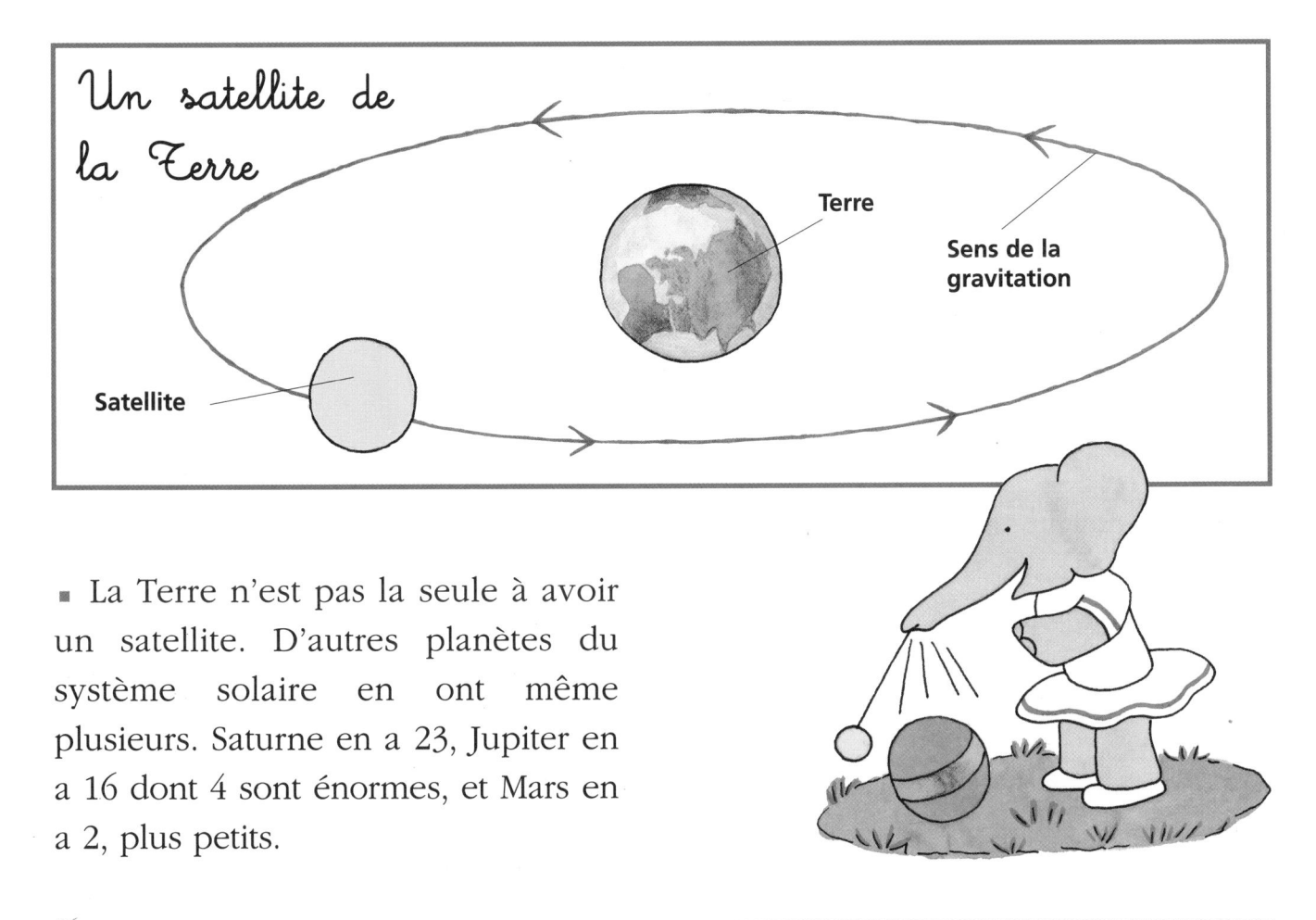

Un satellite de la Terre

Terre

Sens de la gravitation

Satellite

■ La Terre n'est pas la seule à avoir un satellite. D'autres planètes du système solaire en ont même plusieurs. Saturne en a 23, Jupiter en a 16 dont 4 sont énormes, et Mars en a 2, plus petits.

Quel est l'âge de la Lune ?

La Lune est aussi vieille que la Terre.
Elle est née de la même façon
que les autres planètes du système solaire.

La Terre et la Lune sont nées en même temps, il y a plus de quatre milliards et demi d'années. De grosses poussières qui tournaient autour du Soleil se sont collées les unes aux autres et ont formé les deux planètes.

■ Certains savants pensent que la Lune a pu naître aussi de la collision, avec la Terre, d'un gros cailloux qui voyageait dans l'espace. Les multiples fragments issus de cette collision se seraient agglutinés pour former la Lune.

■ La Lune, quatre fois plus petite que la Terre, s'est mise aussitôt à tourner autour de notre planète.

Pourquoi la Lune nous semble-t-elle si grosse ?

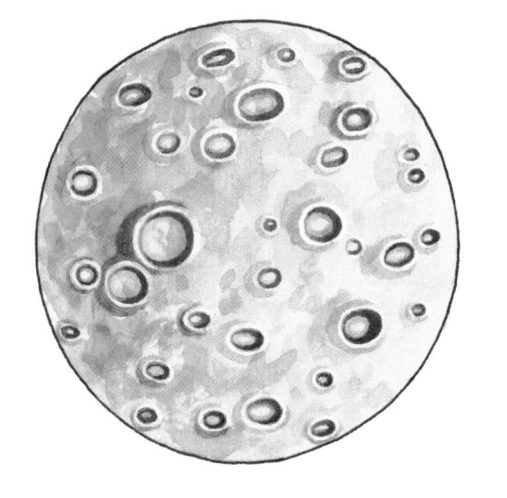

La Lune, pourtant petite, nous paraît énorme parce qu'elle est beaucoup plus proche de nous que les autres planètes et que les étoiles.

■ Elle nous paraît aussi grande que le Soleil alors que, comparée à lui, elle est minuscule. Mais le Soleil est beaucoup plus éloigné de la Terre, alors il nous semble tout petit.

■ La Lune est donc la planète la plus facile à observer. Avec une longue-vue, tu peux arriver à voir sa surface !

La Lune est notre voisine. Elle se situe tout près de nous, à seulement 384 400 kilomètres de la Terre. Cela nous paraît beaucoup, mais c'est bien peu par rapport à la taille de l'Univers. C'est pour cela que nous la voyons si grosse.

Qu'y a-t-il sur la Lune ?

Sur la Lune, il y a des cratères, des montagnes et aussi les traces de pas des premiers cosmonautes qui ont marché dessus.

Il y a 30 ans, pour la première fois, des cosmonautes ont atterri sur la Lune. Grâce à eux, qui ont marché sur son sol et qui l'ont filmé avec une caméra, on connaît aujourd'hui parfaitement son paysage.

■ Sur la Lune, le ciel est noir. Il y a des montagnes, des vallées, et des plaines. Le sol est cabossé par des centaines de milliers d'énormes trous appelés « cratères ». Ils ont été faits par de grosses météorites (voir p. 22) qui sont tombées du ciel il y a bien longtemps.

■ Depuis la Lune, on voit la Terre au loin. Elle ressemble à une grosse boule bleue.

La Lune

Cratère   Météorite   Terre

Peut-on vivre sur la Lune ?

Nous ne pourrions pas vivre sur la Lune sans équipements spéciaux car il y manque un grand nombre d'éléments nécessaires à notre vie.

Sur la Lune, les températures sont insupportables. Il y fait bien trop chaud le jour avec 140 °C et bien trop froid la nuit avec -150 °C ! C'est pour cela que les cosmonautes portent une combinaison.

■ À la différence de la Terre, la Lune n'a pas d'atmosphère (voir p. 15) et nous ne pourrions pas survivre sans cette bulle d'air.

Sur Terre, elle nous protège du Soleil et nous apporte l'oxygène dont nous avons besoin pour respirer.

■ Par contre, on a découvert récemment qu'un peu d'eau, indispensable à la vie humaine, existe sur la Lune sous forme de glace.

Qu'est-ce qu'une éclipse de Lune ?

Parfois, la Lune disparaît un moment pendant que nous la regardons. C'est ce que l'on appelle une éclipse.

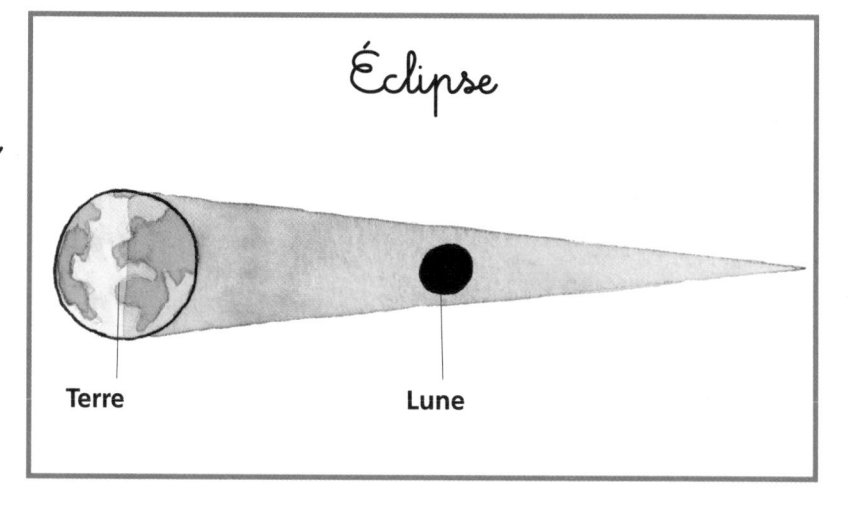

Éclipse

Terre   **Lune**

Nous avons déjà vu que c'est le Soleil qui éclaire les planètes et la Lune. C'est pour cela que nous pouvons la voir la nuit.

■ De temps en temps, comme la Terre bouge, elle passe juste entre le Soleil et la Lune. La Lune se trouve alors dans l'ombre de la Terre qui empêche la lumière de passer.

■ C'est à ce moment là que nous voyons la Lune disparaître lentement. Elle n'est plus éclairée et nous ne la voyons plus. Juste après, en quelques minutes, elle réapparaît. C'est la fin de l'éclipse : la Lune vient de sortir de l'ombre de la Terre.

Pourquoi est-ce que la Lune change tout le temps de forme ?

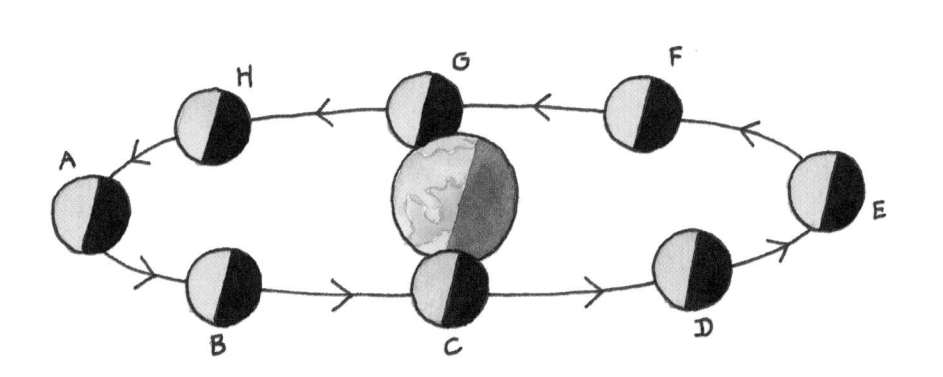

Puisque la Lune tourne autour de la Terre, elle change également sans cesse de place par rapport au Soleil. Celui-ci l'éclaire tantôt tout entière, tantôt en partie. Comme nous ne voyons d'elle que sa partie éclairée, cela lui donne une forme différente chaque nuit.

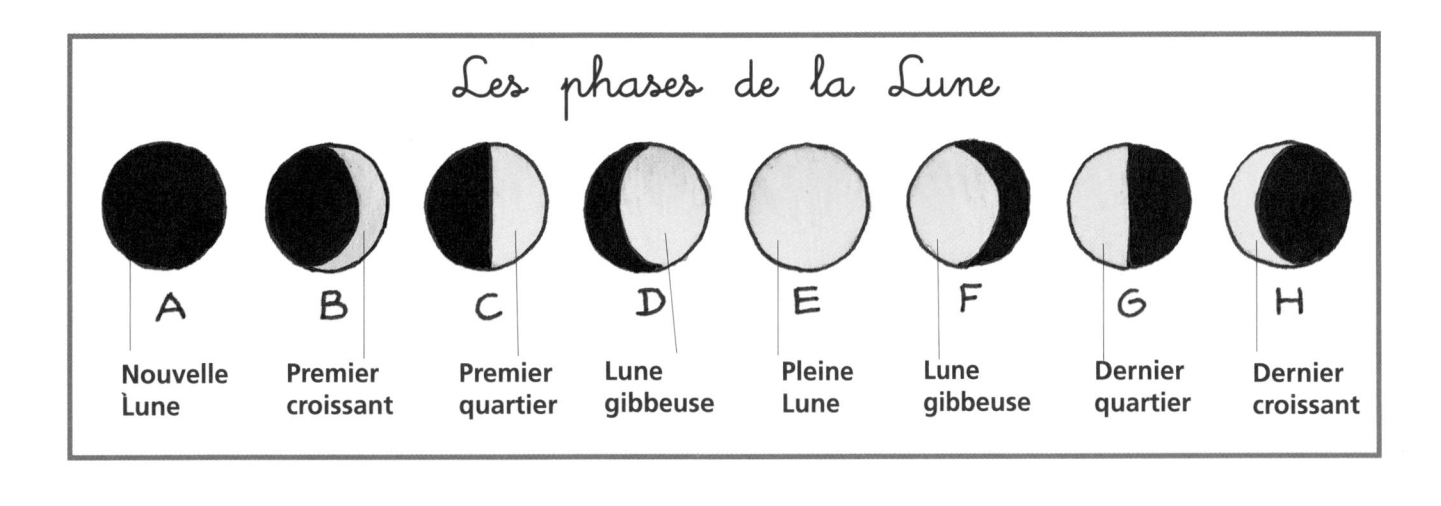

Les phases de la Lune

A	B	C	D	E	F	G	H
Nouvelle Lune	Premier croissant	Premier quartier	Lune gibbeuse	Pleine Lune	Lune gibbeuse	Dernier quartier	Dernier croissant

Tous les 27 jours, la Lune accomplit un tour de la Terre. Pendant ce voyage, nous la voyons petit à petit changer de forme. Après 27 jours, elle revient à son point de départ et elle recommence le même tour.

■ Regarde la forme de la Lune changer et apprends à reconnaître ses différents aspects.

La NOUVELLE LUNE : le Soleil éclaire le dos de la Lune, elle est toute noire et nous ne la voyons pas.

LE PREMIER CROISSANT : la Lune a tourné, le Soleil commence à en éclairer une petite partie que nous voyons.

LE PREMIER QUARTIER : la moitié de la Lune est éclairée.

LA PLEINE LUNE : on la voit en entier parce qu'elle est complètement éclairée par le Soleil.

■ La Lune continue son tour. Elle va maintenant être de moins en moins éclairée :

LE DERNIER QUARTIER : la partie éclairée a changé de côté.

LE DERNIER CROISSANT : il se trouve dans l'autre sens que le premier croissant.

LA NOUVELLE LUNE : la Terre a fini son tour et en recommence un autre. Elle reprend au début.

Laurent de Brunhoff, Babar Characters ™ & © 1998.
Licensed by Nelvana Limited and The Clifford Ross Company, Ltd.
Conception et réalisation de l'ouvrage, Hachette Livre.
Édition : Hachette Livre pour la présente édition.
Adaptation de l'image : Jean-Claude Gibert,
d'après les personnages créés par Jean et Laurent de Brunhoff.
Rédaction du texte : Isabelle Fougère.

Loi n°49-956 du 16 juillet 1949
sur les publications destinées à la jeunesse

ISBN : 2.01.223803.3 - 22.90.3803.8/02
Dépôt légal : 1346 - septembre 1998
Imprimé en France par IME et relié par AGM

30 JUIN '04

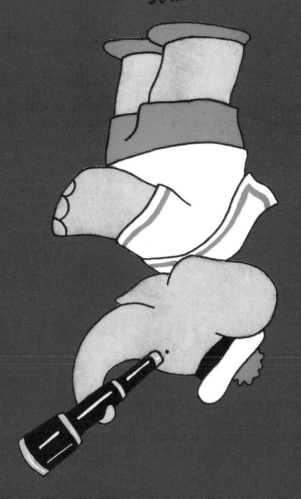